Le journal de guerre d'Emilio

Texte : André Jacob

Illustrations : Christine Delezenne

Debout avec les jeunes !
Réinventons un monde de paix et de liberté !

A.J.

« Qui n'a vu que la misère de l'homme n'a rien vu,
il faut voir la misère de la femme ;
qui n'a vu la misère de la femme n'a rien vu,
il faut voir la misère de l'enfant. »

— Victor Hugo, Les Misérables

D1532599

TOUrne-pierre

André Jacob aborde avec beaucoup de sensibilité et de justesse un sujet très dur : les enfants soldats. Grâce à ce livre, on peut suivre le quotidien d'un enfant plongé dans l'enfer, mais qui arrive malgré tout à poursuivre ses rêves.

Le journal de guerre d'Emilio nous rappelle l'urgence d'agir pour nous, les adultes. Aider ces enfants devrait être un devoir, et non pas un choix. Combien faudra-t-il d'enfants soldats morts pour que nos gouvernements réagissent ? Combien de ces enfants sacrifierons-nous avant d'agir?

À tous les jeunes qui liront ce livre, je souhaite que vous bâtissiez un monde meilleur pour tous les enfants du monde, afin que cesse cette pire forme d'exploitation. Un monde que nous, les adultes, n'avons pas pu vous donner.

Roxana Robin
Directrice Générale
AIPE – Association Internationale pour l'Enfance

Alors qu'ils n'ont pas l'âge de conduire ni de voter, des milliers d'enfants – filles et garçons – sont, encore aujourd'hui, envoyés sur des champs de bataille. Ils remplacent leur stylo par une arme. L'utilisation des enfants-soldats, privés de leur enfance, demeure l'un des fléaux les plus importants de notre siècle, en terme de droits humains.

L'enseignement de la guerre a succédé à celui des maths et de la grammaire. Le terrain de football s'est transformé en un champ de bataille. Les copains de cours sont maintenant des « frères de sang ». Porteurs, éclaireurs, exécutants soumis, les enfants-soldats ne sont souvent que chair à canon dans les conflits. Faciles à manipuler et à remplacer, n'exigeant pas de salaire, servant d'esclaves sexuels, n'ayant pas de famille à nourrir et consommant moins de nourriture... ils continuent à être recrutés par des chefs armés.

Ce livre réussit par sa forme de journal à nous faire vivre l'enfer des gestes quotidiens posés par les enfants. Là, à cet instant où vous lisez, il y a des Emilio quelque part.

Ce sont des facteurs socio-économiques ou politiques – conflits internes, pauvreté endémique - qui sont les moteurs du recrutement d'enfants-soldats, nourris par l'impunité régnante, laissant les recruteurs agir en toute impunité. Nous ne devons pas baisser les bras mais faire signer la convention internationale protégeant les enfants dans les conflits armés par un grand nombre de pays et aussi financer les programmes DDR – Désarmement, Démobilisation et Réhabilitation. Aujourd'hui, beaucoup d'associations participent à un travail de désarmement, démobilisation et réintégration des ex-enfants soldats. Par exemple, le bureau de volontariat des enfants et de la santé (BVES) a été créé en 1989 par Murhabazi Namegabe, surnommé « Muna », à Bukavu, la capitale de la province du Sud-Kivu (République Démocratique du Congo). Les membres du BVES mènent un travail crucial de dialogue et de formation auprès des enfants afin de faciliter leur réhabilitation. Au total, plus de 60 000 enfants ont pu bénéficier du travail de cette association.

Amnistie internationale soutient cet ardent défenseur des droits et le BVES depuis de nombreuses années. Ici nous avons fait campagne pour faire connaitre le sort des enfants soldats et des filles soldats. (« Filles soldats, Filles soldées »). Ces campagnes ont permis de demander des comptes aux gouvernements responsables afin de lutter contre l'impunité, le meilleur facteur pour mettre fin au recrutement des enfants. Ensemble, nous pouvons stopper ce fléau. Nous demandons des comptes aussi pour le respect de notre enfant-soldat, Omar Khadr, dont les droits ont été bafoués.

Emilio a le droit à l'enfance et à sa famille, comme tous les enfants.

Béatrice Vaugrante
Directrice générale
Amnistie internationale Canada francophone

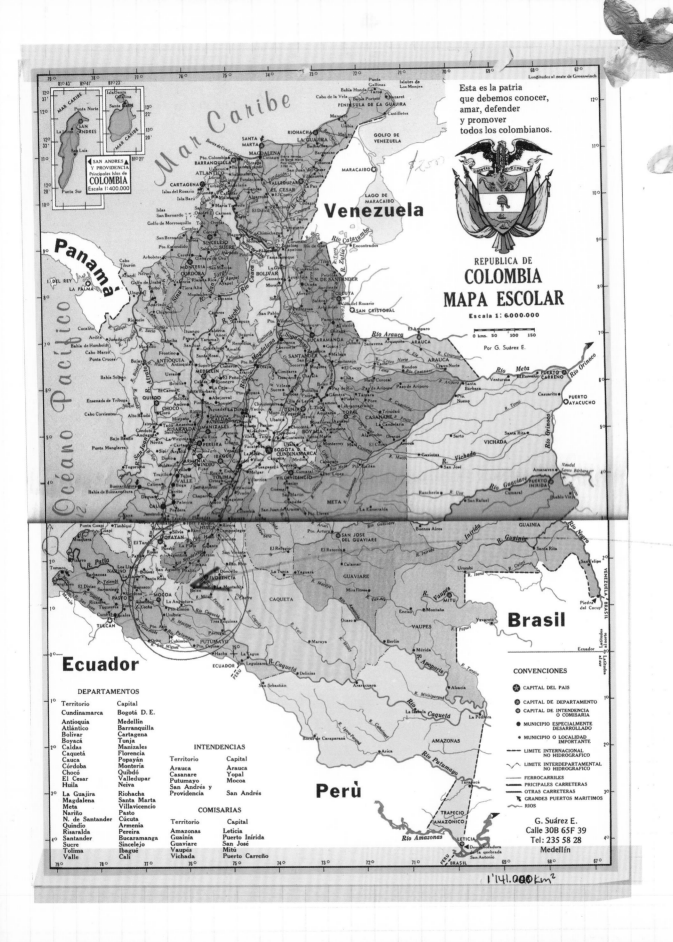

Je m'appelle Emilio Ospina Rodriguez. J'ai quinze ans, j'habite la zone rurale de La Florida, près de Mocoa, en Colombie. À treize ans, j'ai été enlevé de mon village par un commando de l'Armée révolutionnaire de Colombie.

Je suis devenu un enfant soldat.

Les mots me manquent pour décrire toutes mes peurs et mes angoisses durant ces années de combat.
Je relis quelques pages de mon journal personnel en les mouillant de mes larmes.

Garder le silence sur les douleurs de mon cœur et de mon corps m'aurait rendu fou.

Les mots en espagnol figurant dans le texte sont traduits dans le lexique de la page 52.

20 avril 2008

Aujourd'hui, ma vie a changé brutalement par un bel après-midi sans histoire.

Comme les autres élèves, je me préparais à quitter l'école vers seize heures quand, tout à coup, comme des fantômes, trois femmes et quatre hommes masqués se sont glissés dans ma classe, mitraillette au poing.

Tout s'est déroulé très vite, comme dans une scène de film.

Une belle jeune femme a pointé sa mitrailleuse vers madame Monica, notre enseignante.

– Aucun geste! Aucun mot!

Terrorisés, Joana, Miguel, Pilar et plusieurs autres se sont mis à pleurer.

– Taisez-vous! Pas de pleurs! Nous ne vous ferons pas de mal.

Je vivais un cauchemar éveillé.

– Tous ceux et celles qui ont dix ans et plus, debout! Suivez-moi! ajouta la belle dame.

Encadrés par les militaires, mes quinze camarades et moi, nous avons marché vers la sortie. Je n'ai pas pu emporter grand-chose à part ce cahier qui me suit partout.

22 avril 2008

Hier, je n'arrivais pas à écrire.
La peine et la peur m'étouffaient.

Le jour de mon départ restera gravé au fer rouge
dans mon cœur. Je n'oublierai jamais le moment
où les soldats nous ont regroupés en cercle
sur le terrain de foot de l'école.

Le silence était insoutenable malgré le caquetage des toucans
perchés sur les branches du grand manguier de la cour.
Sans dire un mot, la soldate au beau visage nous a scrutés
des pieds à la tête, l'un après l'autre, le regard aussi glacial
que le canon de son fusil.

Elle a pointé du doigt ceux et celles qui devaient retourner
en classe.

Moi, j'ai été retenu avec Marieli, Marta, Maria Elena, Miguel.

– Suivez-moi!

Je tremblais. Mes jambes étaient aussi lourdes que du plomb. Pourtant j'ai réussi à bouger comme un robot.

Nous avons pénétré dans la jungle au pas de course en file indienne. Très vite, j'ai compris qu'un lourd rideau de silence venait de se refermer sur nous.

Les soldats marquaient le rythme, impassibles, mystérieux comme des zombies.

Personne ne parlait.

J'avais entendu parler d'enlèvements d'enfants sans trop y croire. La guérilla avait toujours semblé loin de chez nous.

Ce jour-là, elle nous a volés à nos parents et à nos amis.

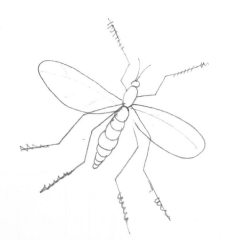

26 avril 2008

Avant-hier, jusqu'à la nuit tombée,
nous avons avancé lentement
à cause de la chaleur humide.

Nous avons traversé des marais et
des sentiers rocailleux dans la montagne.

Épuisés, les pieds en feu, nous sommes arrivés très tard
dans un campement au bord d'une rivière, caché par
plusieurs palétuviers et construit à l'ombre
d'une dizaine d'anacardiers géants.

À l'entrée du camp, un écriteau
annonçait la couleur : Armada
revolucionaria de Columbia.

Quelques tentes disposées en cercle et des abris rudimentaires en bois formaient une sorte de petit village. Tout autour, des sentinelles montaient la garde.

Aussitôt arrivés, on nous a donné à manger : deux tortillas de maïs, du riz et des frijoles negros. Après le repas, un soldat nous a indiqué notre tente.

J'y loge avec neuf autres garçons. Je ne sais rien de mes parents. Ils doivent être morts d'inquiétude.

28 avril 2008

Je n'ai pas revu mes amies depuis mon arrivée.

Elles vivent de l'autre côté du camp, sous une autre tente. La plupart d'entre elles travaillent à la cantine.

Aujourd'hui, j'ai aperçu Maria Elena en train de vider des poissons.

Un peu plus loin, Marta préparait du yucca.

29 avril 2008

On nous a réveillés en pleine nuit.

Il fallait partir en vitesse car des hélicoptères survolaient la jungle en rase-mottes au-dessus de nos têtes.
Le bruit était infernal.

Nous avons marché une bonne partie de la journée avant d'arriver à un autre camp.

Le colonel Orlando nous a tout de suite mis à l'entraînement. Il nous a d'abord enseigné quelques consignes militaires.

Maintenant, je sais comment me mettre au garde-à-vous et au repos.

Après cette première leçon, le colonel nous a crié :

— Demain matin, rassemblement à sept heures au centre du camp. Rompez!

Ensuite, on nous a conduits dans une sorte d'entrepôt où un soldat nous a remis des bottes, des chaussettes, deux pantalons, deux chemises et un chapeau.

Ce soir, nous avons regardé un film de Rambo sur un écran fait d'un drap blanc installé en plein air. Une génératrice permet d'avoir un peu d'électricité.

RAMBO

1er mai 2008

Comme chaque matin, je me suis rendu au ruisseau
pour me rafraîchir le visage.

Marieli et Maria Elena s'y trouvaient déjà,
tellement différentes dans leur nouvel uniforme.
Elles se lavaient les cheveux. Nous avons échangé un sourire
et quelques mots à voix basse.

Ce soir, autour du feu, nous avons fêté les travailleurs
comme nous a expliqué le colonel Orlando.
Marieli était assise à côté de moi.
Nous nous regardions, les yeux dans les yeux,
un peu intimidés. Elle sait me rappeler les bons souvenirs
de la vie au village et elle ne se moque pas de moi
lorsque je lui dis que je m'ennuie de mes parents.

J'ai du mal à dormir.

Lorsque je pense à ma famille,
je pleure en silence.

9 juin 2008

Je n'arrive pas à écrire beaucoup tellement je suis fatigué.

Au rassemblement quotidien, la commandante Yolanda nous a remis un bâton en forme de fusil.

— Maintenant, vous êtes des combattants et des combattantes. Ce bâton vous aidera tout au long de votre entraînement. Portez-le fièrement comme une vraie mitraillette.

Ensuite, dans la forêt, le colonel Orlando nous a fait zigzaguer à la course, enjamber de grosses pierres, des troncs d'arbres et des grosses souches. Il nous a fait sauter dans un marais, de l'eau jusqu'aux genoux, l'œil aux aguets parce qu'il pouvait s'y trouver des sangsues géantes.

J'ai aperçu un paresseux dans un arbre; je l'enviais.

À la fin de la journée, nous sommes tous exténués.

De retour, au camp, un soldat nous a demandé d'avaler une pilule blanche. Ma fatigue s'est évaporée comme par miracle et j'ai passé quelques heures à bavarder et à rire avec les copains. Personne ne semble savoir ce que contient ce médicament, mais il nous aide.

12 juin 2008

Ce soir, nous avons fêté l'anniversaire de la commandante Yolanda.

Nous avons eu droit à un vrai bon repas avec de la viande, des fruits et même du chocolat.

Après, nous avons vu un film d'Indiana Jones.

Des soldats adultes nous ont fait respirer de la poudre blanche et boire de l'agua ardiente.

Je n'ai pas vraiment aimé cela.

Je n'arrive pas à dormir. Mon esprit déraille dans tous les sens.

Dans ma tête, je hurle sans cesse : « Maman! Papa! Sauvez-moi! ».

18 août 2008

Les jours se ressemblent avec les mêmes entraînements.

Parfois, je n'en peux plus de courir et de suivre les ordres, mais je me sens plus fort. Je sais ramper, me glisser entre les branches, courir dans l'eau ou à travers les broussailles sans faire trop de bruit. Toujours surveiller, c'est la consigne. On pourrait voir un soldat ennemi ou encore un anaconda prêt à nous attaquer. Un soldat en a tué un immense hier.

Les copains m'appellent El Sapo, parce que je sais bien me camoufler dans les marais.

XM8 BASELINE CARBINE

- 12.5" barrel
- common modular assemblies

- side loading 40mm grenade launcher

XM8 Carbine with add-on XM320 grenade launcher

COMPACT CARBINE

- short 9" barrel
- butt cap receiver cover
- personal defense applications

SHARPSHOOTER VARIANT

- 20" barrel
- advanced optical sight (all variants)

AUTOMATIC RIFLE

- heavy 20" barrel for sustained fire
- integral folding bipod
- 100-round drum magazine

ONE WEAPON — FOUR VARIANTS

The XM8 is designed as a modular weapon that fires 5.56 x 45mm NATO ammunition. Different barrels and other modules can be swapped quickly depending on operational requirements. The XM8 will be lighter and more reliable than the existing M4 carbine and M16 rifles. If approved, the Army could field 900,000.

handguard with integral bipod

handguard

compact carbine handguard

multi-function red dot sight

removable carry handle

carbine barrel

common XM8 receiver

100-round drum magazine

30-round box magazine

automatic rifle barrel and gas system

adjustable buttstock positions

compact carbine barrel and gas system

butt cap

quick detachable X320 40mm grenade launcher

26 septembre 2008

Quel grand jour!
J'ai reçu ma mitraillette, une AK-47.
Elle n'est pas neuve, mais elle reluit
comme une grenouille.

Ce matin, la commandante Yolanda nous a parlé de notre vie de soldat :

– Vous êtes maintenant des combattants. Vous devez être fiers. Vous avez reçu une arme parce que vous la méritez. Protégez-la comme une amie, car votre vie dépend d'elle ! Elle doit vous accompagner jour et nuit. Rompez !

En une journée, j'ai appris comment porter ma AK-47, la démonter, la nettoyer et changer le chargeur.

Demain, je vais apprendre à tirer.

VIVA LA REVOLUCION

4 novembre 2008

Himno Nacional
de La República de Colombia.

Malgré les pluies fortes, nous nous entraînons avec notre arme au flanc ou au poing, sans compter notre barda sur le dos. Fatigue ou pas, il faut toujours suivre le peloton, car arrêter serait désobéir à la consigne.

Le soir, les pilules blanches me détendent et me font rire sans raison. Marieli m'a montré son arme, un vrai fusil-mitrailleur G-3. Elle en est très fière.

Miguel, on l'appelle El Mono parce qu'il peut grimper très vite sur un cocotier. Il a reçu un fusil-mitrailleur M-16 tout neuf. Le chanceux! La commandante Yolanda est la seule à posséder un pistolet-mitrailleur UZI. Tous les soldats l'envient.

11 décembre 2008

Chaque matin, au rassemblement, nous chantons l'hymne national. Nous ne devons pas oublier que nous combattons pour la liberté. Maintenant, je connais toutes les paroles par cœur.

Le colonel Orlando nous a enseigné à tirer dans diverses positions : debout bien droit, couché sur le ventre ou sur le dos, à genoux, du haut d'un arbre, et même en courant. Il nous a aussi fait faire des concours de tir sur des cibles.

Depuis plusieurs jours, je ne vois plus Marieli.

Miguel l'a vu entrer dans la tente d'un commandant hier, à la tombée de la nuit.

Un écriteau ordonne de ne pas s'en approcher : Prohibido entrar!

12 mars 2009

Je n'ai pas beaucoup de temps pour nourrir mon journal.
Toute mon énergie passe aux entraînements.

De plus, je dois préparer du bois pour la cuisine.

Ce matin, j'ai aperçu Marieli. J'ai essayé de lui parler,
mais elle s'est éloignée.

Marta dit qu'il vaut mieux se tenir loin d'elle, car un commandant l'a prise à son service et elle dort sous sa tente.

Presque chaque soir, nous regardons des films de guerre.

J'aimerais pouvoir me battre comme Rambo, avec deux pistolets à la fois et un couteau entre les dents, mais le plus souvent, je fais des cauchemars terribles. Je me vois brûlé vif par un bazooka ou attaqué par des géants armés jusqu'aux dents.

Je suis très fatigué. Les pilules blanches m'étourdissent de plus en plus.

COLONEL ORLAND

29 juillet 2009

La commandante Yolanda m'a assigné à la garde
des prisonniers de minuit à six heures du matin.
Je déteste cette tâche, car je ne me crois pas
capable de tirer sur des personnes faibles
et sans défense.

Elle m'a jumelé avec Maria Elena. Celle-ci m'a appris
que Marieli avait été transférée à un autre camp.
J'en suis très triste.
J'aimais bien parler avec elle.

Maria Elena et moi, nous avons partagé nos peurs.

Des soldats ennemis ou des pumas peuvent nous
attaquer d'un instant à l'autre, mais nous redoutons
surtout la Patasola, la monstrueuse sorcière
à une seule jambe.

On peut tuer des soldats et des animaux,
mais la Patasola est invincible.

Comme j'ai déjà chassé avec mon père,
je crains sa vengeance.

Mamita Catalina m'a raconté son histoire.

La Patasola vole à travers les forêts pour protéger les animaux sauvages ou les venger en attaquant les chasseurs. Des gens racontent qu'elle se présente toujours sous les traits d'une très belle dame. Lorsqu'elle apparaît dans la nuit, elle hypnotise ses victimes par un regard charmeur afin de les attirer dans la forêt.

Alors ses yeux lancent des éclairs de feu, d'énormes crocs de félin sortent de sa bouche et elle saute au cou de ses victimes pour les saigner.

Pata Sola

LUCHAR
HASTA VENCER

9 août 2009

Hier, la routine s'est cassée d'un seul coup.
J'ai vécu mon premier branle-bas de combat.

En pleine nuit, le colonel Orlando nous a tous
réveillés en hurlant :

— Debout! Tout le monde debout! Rassemblement dans
dix minutes avec votre arme et votre barda!

La commandante Yolanda nous a harangués
d'un ton encore plus solennel qu'à l'habitude :

— Camarades, l'armée ennemie s'approche de nous.
Nos sentinelles éloignées ont repéré des bataillons.
Soyons prêts à combattre comme des héros et
à mourir pour la patrie! Rejoignez vos unités et
obéissez aux ordres de vos officiers!
Combattez avec courage!

J'étais content de pouvoir enfin
combattre avec ma AK-47.

12 août 2009

Nous avons marché en silence dans la noirceur pendant une trentaine de minutes, nous faufilant dans la forêt comme des serpents, à la queue leu leu.

En haut d'une colline, le colonel Orlando nous a fait signe d'arrêter et il nous a répartis en demi-cercle.

— Camouflage et silence parfaits! ordonna-t-il d'une voix presque éteinte. Un camion de l'armée ennemie va passer en contrebas sur le chemin que vous voyez. Il y aura une explosion.
À mon commandement, feu à volonté sur tout ce qui bouge!

L'attente a duré à peu près une heure. Ce délai m'a paru un siècle, mais notre patience a été récompensée.

Au bas de la colline, trois camions sont apparus au tournant de la route. Quand ils sont passés devant nous, une effrayante langue de feu lancée par un lance-roquette a fait exploser le camion de tête.

— Fuego!

Des soldats ennemis quittaient leurs véhicules en courant, d'autres se roulaient par terre pour éteindre les flammes qui les dévoraient ou rampaient pour éviter nos balles.

Plusieurs sont tombés sous nos rafales.

Les survivants se sont terrés rapidement dans des bosquets ou derrière des rochers. Ils se sont mis à tirer dans notre direction. Le sifflement des balles à travers les feuilles ne me dérangeait pas.

Je tirais sans arrêt, moi aussi, m'arrêtant uniquement pour changer le chargeur et laisser refroidir un peu le canon de ma AK-47.

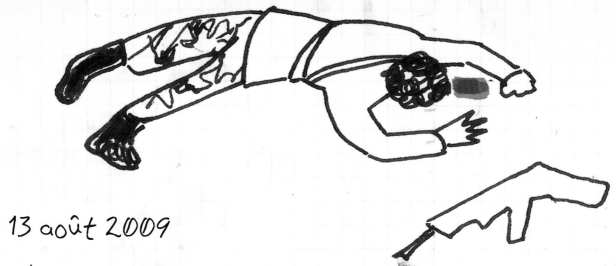

13 août 2009

J'ai aperçu Miguel. Il était étendu par terre, le visage dans la boue. J'ai rampé vers lui. Je lui ai parlé, mais il n'a pas répondu.

Je l'ai retourné sur le dos. Il ne respirait plus. Une balle lui avait traversé la poitrine. Sali par la boue et le sang, son visage m'a fait peur.

J'ai fermé ses yeux et j'ai recommencé à tirer avec rage. Je n'avais qu'une idée en tête : venger mon copain.

Tout à coup, telle la foudre, un éclair de feu a fendu l'air. Une roquette venait d'éclater à quelques mètres de notre position. J'ai entendu des hurlements et des pleurs venant de partout en même temps.

Au-dessus de moi, les branches craquaient. Le feu menaçait de nous dévorer tous. Le colonel Orlando a hurlé :

— Sauve qui peut! Repliez-vous!

J'ai couru en direction de notre campement. Soudain, j'ai vu Marta. Elle était étendue près d'un arbre. Du sang coulait de sa jambe droite.

Elle pleurait. En vitesse, je lui ai fait un garrot
comme je l'avais appris durant mon entraînement.
Un de nos brancardiers est passé près de nous. Il m'a aidé
à installer Marta sur un brancard après avoir ficelé
sa mitraillette à ses côtés.

Nous avons fui à toutes jambes en portant notre compagne,
ahanant comme des chevaux de course sans nous arrêter.

Nous pleurions de rage
ou de panique, je ne sais plus!

14 août 2009

Je ne sais pas trop comment nous avons réussi
à regagner le camp.

Plusieurs camarades n'ont pas survécu à la bataille.
Je n'ai jamais revu Luis, Juan, Emanuel et Pedro.

Je suis content de savoir que Maria Elena
et Marta sont vivantes.

La commandante Yolanda nous a tous félicités
après avoir rendu hommage à nos camarades
morts au combat. Elle a dit que nous avions
réussi à dérouter l'armée adverse.

Pendant plusieurs jours,
nous n'avons presque pas bougé.

Les blessés, filles et garçons,
soignaient leurs blessures
à l'infirmerie.

28 août 2009

Aujourd'hui, je suis très triste.
Un camarade, El tigre, a reçu l'ordre
d'exécuter son ami, El Chulo, parce que
celui-ci a tenté de s'enfuir du camp
après le combat, mais il a été repris.

La commandante Yolanda m'a remis une médaille de bravoure. Je l'ai acceptée avec une fierté mêlée de tristesse. Je n'arrive pas à oublier le visage de Miguel ni celui d'El Chulo.

Je ne veux plus aller me battre.

Je rumine des pensées noires. La guerre n'est pas un jeu. Elle sème la mort.

Nos camarades tués sont enterrés dans un cimetière, pas très loin du camp. Sur chaque tombe, il y une croix blanche portant leur nom.

Je ne tiens pas à m'y retrouver.

18 octobre 2009

Depuis plusieurs semaines, mon cerveau tourne à vide.

J'ai perdu l'appétit et beaucoup de forces.

23 novembre 2009

Lors d'une embuscade, j'ai reçu une balle dans le ventre.

Des brancardiers ont réussi à me ramener au camp de base.

La commandante Yolanda est venue me voir. Elle m'a annoncé que j'allais quitter le camp. Ma blessure était vraiment très grave et on ne pouvait pas me soigner à l'infirmerie car notre camarade médecin avait été tué lors de la dernière bataille. Les larmes aux yeux, elle m'a embrassé et m'a serré dans ses bras. J'ai refoulé mes larmes comme un bon soldat. Une patrouille adulte m'a transporté sur un brancard à travers la jungle.

Le trajet m'a paru interminable. J'avais tellement mal que j'étais sûr de mourir.

Profitant de la nuit, les soldats de l'ARC m'ont abandonné à deux pas de l'hôpital de Mocoa. Ils sont repartis aussitôt en courant.

Au petit matin, une infirmière m'a découvert. Je délirais et je tremblais de fièvre. Le médecin qui m'a examiné a décidé de m'opérer de toute urgence.

Miguel Sanchez

1er décembre 2009

Après plusieurs jours de repos, je me sens bien mieux.
Une travailleuse sociale est venue me rendre visite.
Elle s'appelle Maria Eugenia Guillen Rios.

Elle veut me connaître.

Je lui ai raconté toute ma vie... ma famille... l'école...
l'enlèvement... le camp.

Elle m'assure que je vais retrouver mes parents avant Noël.

Je suis très heureux même si j'ai aussi un peu peur de les revoir.

Je me suis informé du sort de mes camarades restés au camp.
Elle ne sait rien d'eux.

COLOMBIA
1887
1947
SOCIEDAD
COLOMBIANA DE INGENIEROS
CORREOS
20 CENTAVOS
WATERLOW & SONS LIMITED

Maria
Eugenia

7 décembre 2009

Aujourd'hui, Maria Eugenia m'a annoncé qu'elle a retrouvé ma famille. Elle a déjà contacté mes parents pour les prévenir de mon arrivée.

Le retour à la maison m'inquiète un peu.

Tout comme la plupart des paysans de mon village, mes parents ont sûrement entendu parler des jeunes soldats qui reviennent parfois de la guérilla avec des comportements violents.

Avant mon arrivée au camp, mes parents en parlaient souvent.

Ils racontaient qu'un ex-guérillero avait tué un camarade de classe à coups de machette.

Ils disaient aussi que certains provoquaient des bagarres dans leur école, incapables de se réhabituer à une vie normale.

J'ai aussi entendu raconter que certains jeunes préfèrent retourner dans la jungle plutôt que d'aller à l'école.

20 décembre 2009

Aujourd'hui, j'ai enfin retrouvé les miens!

Quand je suis entré dans la maison, toute ma famille a lancé des cris de joie, pleurant et riant à la fois. Maman m'a serré longuement dans ses bras. J'ai pleuré moi aussi. Mon père m'a observé un moment. Il a hésité à m'embrasser. Heureusement, Maria-Eugenia m'avait prévenu; il redoutait mon retour, même s'il s'en disait content.

Maman avait préparé un bon repas avec des haricots, du poulet et ses plus belles tortillas. Tout le monde m'avait cru mort. J'arrivais à peine à répondre à toutes leurs questions tellement ils étaient heureux de me revoir. Nous avons parlé jusque tard dans la nuit.

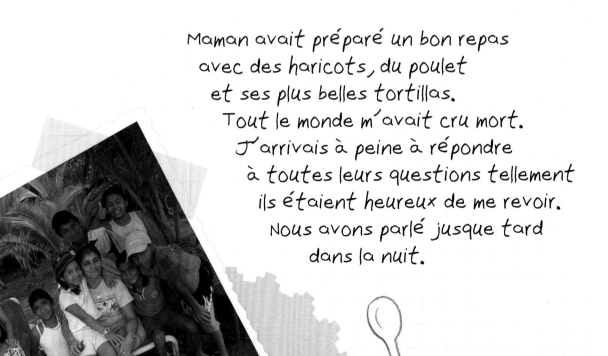

25 décembre 2009

Le plus beau Noël de ma vie! Mon retour à la maison
est un cadeau inoubliable. Je suis vivant.

Pourtant je ne me sens pas encore tout à fait bien.
Chaque nuit, des cauchemars me réveillent.
Je suis hanté par la mort des filles et des garçons
restés dans la jungle. Je m'ennuie d'eux.

Mais je suis encore au printemps de ma vie
et je rêve de retourner à l'école.

Jusqu'à maintenant, je ne pensais pas pouvoir le faire.
Mon cerveau me paraissait éclaté.
J'y entendais toujours les éclats d'obus.
Une sorte de grand feu sans fin consumait
mes idées et mon cœur.

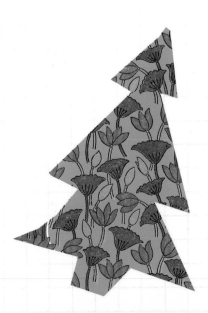

Aujourd'hui, sans que je sache encore comment, je veux travailler pour la paix. Je veux témoigner à la mémoire des filles et des garçons prisonniers de la folie de la guerre.

Quand les enfants font la guerre...

Dans un de ses romans, le grand romancier Milan Kundera définit l'être humain comme « un être capable dans n'importe quelle situation d'envoyer son prochain à la mort ». Est-ce vrai?

Dans le cas des enfants impliqués dans des guerres, la réponse est oui. Que ce soit dans des armées gouvernementales ou dans des organisations révolutionnaires, des adultes recrutent des enfants pour faire la guerre. Et la guerre, c'est la mort! Selon un rapport de 2009 de l'Organisation des Nations Unies, il y a environ 250 000 enfants qui combattent un peu partout sur la planète. Certains sont très jeunes, parfois sept ou huit ans, mais la majorité d'entre eux a entre quatorze et dix-huit ans. Souvent enrôlés de force, enlevés dans une école ou dans la rue, ils se retrouvent dans un milieu qui les entraîne à tuer.

Recourir aux enfants dans un conflit armé est très efficace : les enfants ne coûtent pas cher, ils sont faciles à enjôler et à remplacer. Ils n'exigent pas de solde, n'ont pas de famille à nourrir et consomment moins de nourriture. En revanche, ils tuent aussi bien que les adultes. Plus ils sont jeunes, moins ils ont de scrupules, car ils ne sont pas conscients de la portée de leurs actes.

Pendant que des millions d'enfants et d'ados jouent à combattre sur des jeux électroniques, d'autres jeunes sont impliqués dans des combats réels, deviennent esclaves sexuels, messagers, espions, domestiques, poseurs de bombes, démineurs... Dans bien des cas, une fin tragique les attend. Les survivants s'en sortent souvent avec des cicatrices physiques, mais aussi avec de graves problèmes de comportement lors de leur retour à la vie civile. Plusieurs doivent subir des cures de désintoxication en raison de la consommation de drogues fortes auxquelles on les a habitués.

Un enfant de la guérilla colombienne raconte :

« On nous faisait boire du lait mélangé à de la poudre de fusil afin de mieux contrôler nos peurs. Celle-ci nous donnait de l'énergie et davantage envie de tuer les troupes qui passaient devant nous ».

Personnellement, lors d'un séjour au Salvador au début des années 90, à la fin d'un long conflit qui a duré une quinzaine d'années, j'ai pu constater les effets de la guerre sur les jeunes. Le nombre important de meurtres et l'organisation de bandes criminelles extrêmement violentes traduisaient le climat de violence hérité de la guerre.

Les problèmes de ces jeunes restent trop souvent méconnus. Il n'y a ni sanctions ni stratégies pour empêcher le recrutement ou l'enlèvement d'enfants forcés à combattre. À ce jour, le Conseil de sécurité de l'Organisation des Nations Unies refuse toujours de condamner l'enrôlement forcé ou volontaire d'enfants, même si la Convention internationale des droits de l'enfance (article 38) interdit cette pratique. En outre, Amnistie internationale dénonce l'absence de politiques de réinsertion sociale de la part des gouvernements des pays où des enfants combattent.

La guerre n'est pas un jeu. Elle viole l'humanité.

André Jacob

Lexique

Agua ardiente : eau de vie, alcool fort.

Anacardier : arbre d'environ douze mètres de hauteur qui produit la noix de cajou.

Anaconda : boa constrictor géant.

Armada revolucionaria de Columbia : armée révolutionnaire de Colombie.

Colombie : pays situé au nord de l'Amérique du Sud.

Chulo : surnom donné aux soldats ennemis qui veut dire crâneur, effronté.

El Mono : le singe.

El Sapo : le crapaud.

El Tigre : le tigre.

Frijoles : haricots noirs.

Fuego : feu.

Guérilla : conflit armé qui se vit en dehors d'un champ de bataille.

Guérillero : combattant dans la jungle qui n'est pas enrôlé dans l'armée gouvernementale.

Manguier : grand arbre fruitier des pays tropicaux qui produit les mangues.

Mocoa : nom fictif d'un village de la jungle colombienne.

Palétuvier : arbre géant qui croît dans les mangroves (marais).

Paresseux : mammifère édenté, à mouvements très lents. Il ressemble un peu à un singe qui vit dans les arbres.

Prohibido entrar : interdit d'entrer.

Sangsue : sorte de ver dit « annélide » qui colle à la peau et suce le sang.

Tortilla : crêpe plate à base de farine de maïs.

Toucan : oiseau grimpeur au plumage éclatant, à bec énorme, qui vit dans les régions montagneuses de l'Amérique du Sud.

Yucca : manioc.

SI TU VEUX EN APPRENDRE DAVANTAGE :

Livres que tu peux lire :

Abani, Chris : *Comptine pour l'enfant soldat*. Paris, Albin Michel, 2011

Amisi, Serge : *Souvenez-vous de moi, l'enfant de demain : carnets d'un enfant de la guerre* (traduit du lingala par l'auteur avec le concours de Jean-Christophe Lanquetin et remanié par Raharimanana). La Roque-d'Anthéron, Vents d'ailleurs, 2011

Badjoko, Lucien : *J'étais enfant soldat.* Paris, Plon, 2005

Bandele-Thomas, Biyi : *La drôle et triste histoire du soldat Banana.* Paris, Grasset. Traduit de l'anglais par Dominique Letellier, 2009

Derey, Jean-Claude : *Les anges cannibales.* Monaco. Éditions du Rocher, 2004

Grant, Donald : *S.O.S. Enfants du monde.* Paris. Gallimard Jeunesse, 2008

Mehari, Senait : *Coup de cœur. J'étais une enfant soldat.* Paris, Archipoche, 2009

Miano, Leonora : *Les aubes écarlates : « Sankofa cry ».* Paris, Pocket (Plon), 2009

Stratton, Allan : *Le secret de Chanda.* Paris, Bayard jeunesse. Collection : Millézime, 2006

Stratton, Allan : *Les guerres de Chanda.* Paris, Bayard-Jeunesse. Collection : Millézime. (Suite de : *Le secret de Chanda*), 2009

Livre que tu peux écouter :

Bouchard, Camille : *Les petits soldats.* Montréal, La Magnétothèque, 2002
Sujet : les enfants-soldats en Afrique.

Documents audio-visuels que tu peux regarder :

Keitetsi, China : *La petite fille à la Kalachnikov.* Montréal, La Magnétothèque, 2007

Provencher, Raymonde : *Grace, Milly, Lucy.* Documentaire, 73 minutes, Montréal, Office national du film, 2010

Nguyen, Kim : *Rebelle.* Production : Pierre Even et Marie-Claude Poulin. Distributeur : Metropole Films Distribution. Québec. 90 minutes, 2012
www.youtube.com/watch?v=Tmu-fYUDDyM

Schmitz, Oliver : *Le secret de Chanda.* Film (Afrique du Sud). 146 minutes, 2010
www.youtube.com/watch?v=QH5ASUavTbM

Van De Velde, Jean : *L'armée silencieuse.* Enregistrement vidéo, 90 minutes avec sous-titres français). Producteurs : Chris Brouwer, Richard Claus et Paul Brinks, 2008

Quelques sites Internet que tu peux consulter :

Amnistie internationale : www.amistie.ca

Association internationale pour l'enfance : www.aipe-cci.org

Bureau international du travail : www.ilo.org

Children and Organized Armed Violence (COAV) : www.coav.org.br

Coalition to Stop the Use of Child Soldiers : www.child-soldiers.org

Convention internationale des droits de l'enfant : www.droitsenfant.com

Cour pénale internationale : www.icc-cpi.int

Croix-Rouge : www.icrc.org/fre

Human Rights Watch : www.hrw.org

UNICEF : www.unicef.org

University of Essex Children and Armed Conflict Unit : www.essex.ac.uk/armedcon/

Watchlist on Children and Armed Conflict : www.watchlist.org

Et que peux-tu faire ?

1) T'informer auprès de l'Association internationale pour l'enfance, d'Amnistie internationale et d'UNICEF-Canada sur les activités qui touchent la lutte contre l'utilisation des enfants-soldats.

2) Organiser un débat dans la classe à partir d'un document audio-visuel sur le sujet ou en comparant un jeu de guerre et un documentaire sur la vie réelle d'un enfant-soldat.

3) Dans l'école, organiser une exposition autour du thème « les enfants qui font la guerre ».

4) Signer des pétitions qui demandent l'arrêt de l'exploitation des enfants dans les conflits armés.

5) Lancer une chaîne de lettres adressée aux chefs des partis politiques du Canada pour leur demander d'intervenir auprès de L'Assemblée des Nations Unies pour que la Convention internationale des droits de l'enfant soit respectée dans tous les pays, surtout dans les pays où des enfants deviennent soldats.

Le journal de guerre d'Émilio

Direction éditoriale : Angèle Delaunois
Édition électronique : Hélène Meunier
Révision linguistique : Jocelyne Vézina
Production : Rhéa Dufresne

© 2013 : André Jacob, Christine Delezenne
et les Éditions de l'Isatis

Dépôt légal : 1er trimestre 2013

ISBN : 978-2-923234-87-8   (IMPRIMÉ)
ISBN : 978-2-923818-82-5   (Numérique)

Bibliothèque nationale du Québec
Bibliothèque nationale du Canada

Catalogage avant publication de Bibliothèque
et Archives nationales du Québec
et Bibliothèque et Archives Canada

Jacob, André, 1942-
        Le journal de guerre d'Émilio
        (Tourne-pierre ; 36)
        Pour les jeunes de 10 ans et plus.
        I. Delezenne, Christine. II. Titre. III.
Collection: Tourne-pierre ; 36.
PS8569.A277J68 2012 jC843'.54 C2012-942043-3
PS9569.A277J68 2012

**Fiche pédagogique téléchargeable
gratuitement depuis le site :
www.editionsdelisatis.com**

Les Éditions de l'Isatis Inc. bénéficient du soutien
financier des institutions suivantes pour leurs
activités d'édition :

- le Conseil des Arts du Canada,

- le Gouvernement du Canada par l'entremise
  du Programme d'aide au développement de
  l'industrie de l'édition (PADIÉ),

- la Société de développement des entreprises
  culturelles du Québec (SODEC),

- le Gouvernement du Québec par l'entremise
  du programme de crédit d'impôt pour
  l'édition de livres.

Conseil des Arts   Canada Council
du Canada   for the Arts
SODEC Québec

ÉDITIONS DE L'ISATIS
4829, avenue Victoria
Montréal – QC - H3W 2M9
www.editionsdelisatis.com
Imprimé au Canada

ASSOCIATION NATIONALE DES ÉDITEURS DE LIVRES

FSC
MIXTE
Papier issu de
sources responsables
FSC® C102564

ENCRES SANS
C.O.V.